文化文創 022

王力行　策畫

楊棟樑　主編

星雲之歌

目錄

慈悲與智慧，如光影相隨

　　二〇一五年三月，春好，編者有因緣與遠見・天下文化事業群創辦人高希均教授、王力行發行人、知名學者作家余秋雨先生與其夫人馬蘭女士，及天下文化總經理林天來等，一同前往高雄佛光山。那日，陽光普照，一走出高鐵站，星雲大師意外地出現在車站親迎，遠看如同一座山，慈祥而莊嚴。當下，與同行者一同感受到大師帶給眾人的歡喜，末學也驚訝一代高僧如此禮遇與尊崇藝文界人士。

　　二〇一六年，近春，高希均教授提出，希望以一部影片獻給提倡人間佛教的星雲大師。數月以來，編者與星雲大師及僧信眾接觸，猶如善財童子般，參學智慧與慈悲。進而仰望星雲大師「三影」：身影、影響、光影，用影像訴說跨越千年時空，遍灑人間慈悲與智慧。

身影：說禪 —— 是佛

　　為眾生續慧命，為人間留佛法。九十高齡的星雲大師四處奔走、說法，所到之處，眾人皆歡喜。「佛說的、人要的、淨化的、善美的」，星雲大師把佛教帶入人間，重現千年前的佛陀本懷。

影響：初心 ── 是法

　　有佛法就有辦法，佛法因此得以在世間長住。大師弘法五大洲，廣結善緣，李自健、高希均、張毅、楊惠姍、黃效文、余秋雨、李開復等，以初心對應初心，以法清淨人間。

光影：如來 ── 是僧

　　佛光世界已過五十年，叢林學院的僧團教育，恆持著大師的精神與理念，以及開山時的初心，燈燈相續；星雲之影，一切都在慈悲、智慧、捨得之間。

　　欣逢星雲大師九十，在高希均教授的創意指導與王力行發行人的總策畫下，競衡集團詹益森董事長、張簡珍董事長的全力護持與佛光山眾法師的協助，遠見創意製作團隊深深感恩有此殊勝因緣，以此書與大眾結緣，捕捉智慧與慈悲的光與影，呈現一代大師星雲之影。

楊棟樑 暨遠見創意製作團隊

二〇一六　夏

第一部

身影

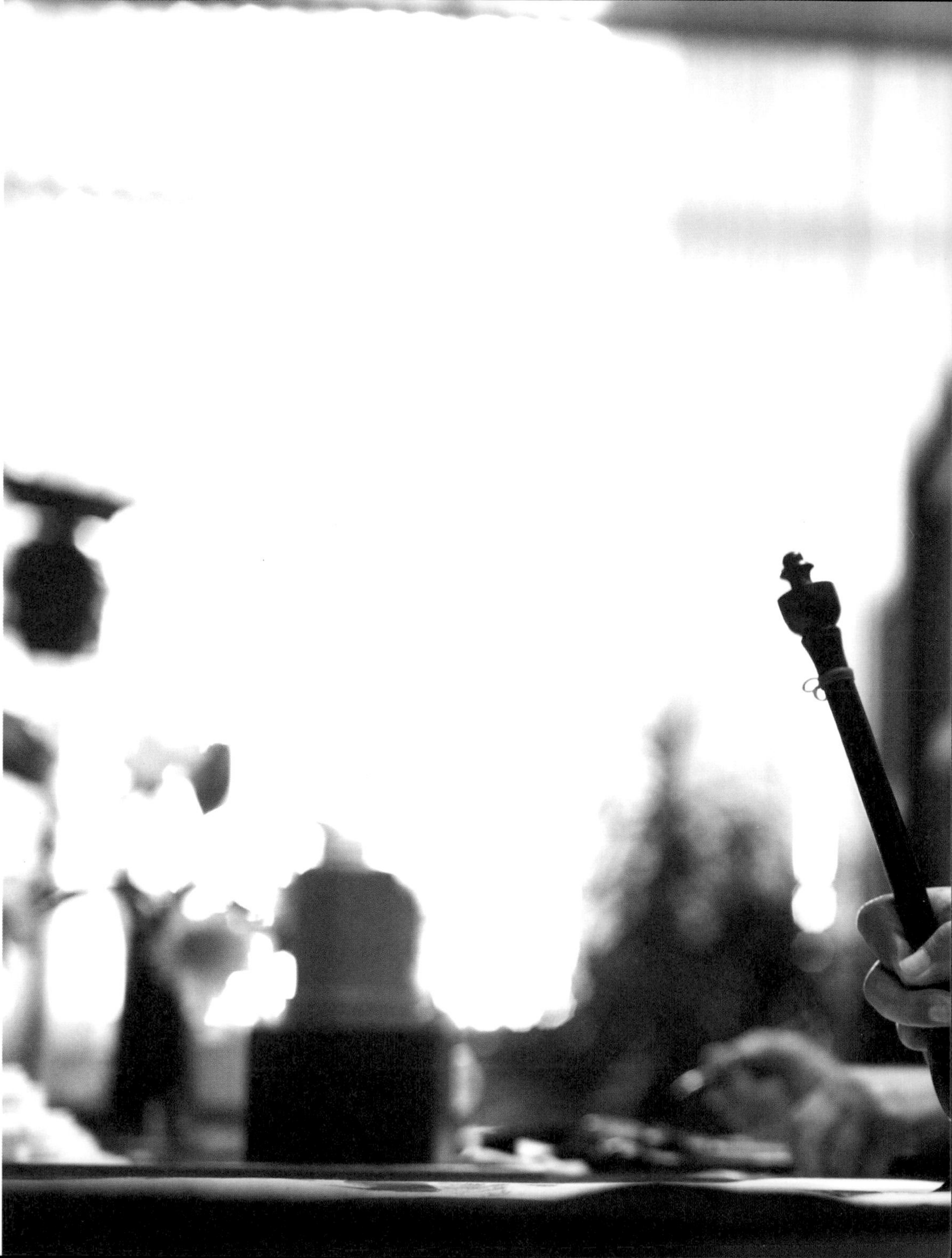

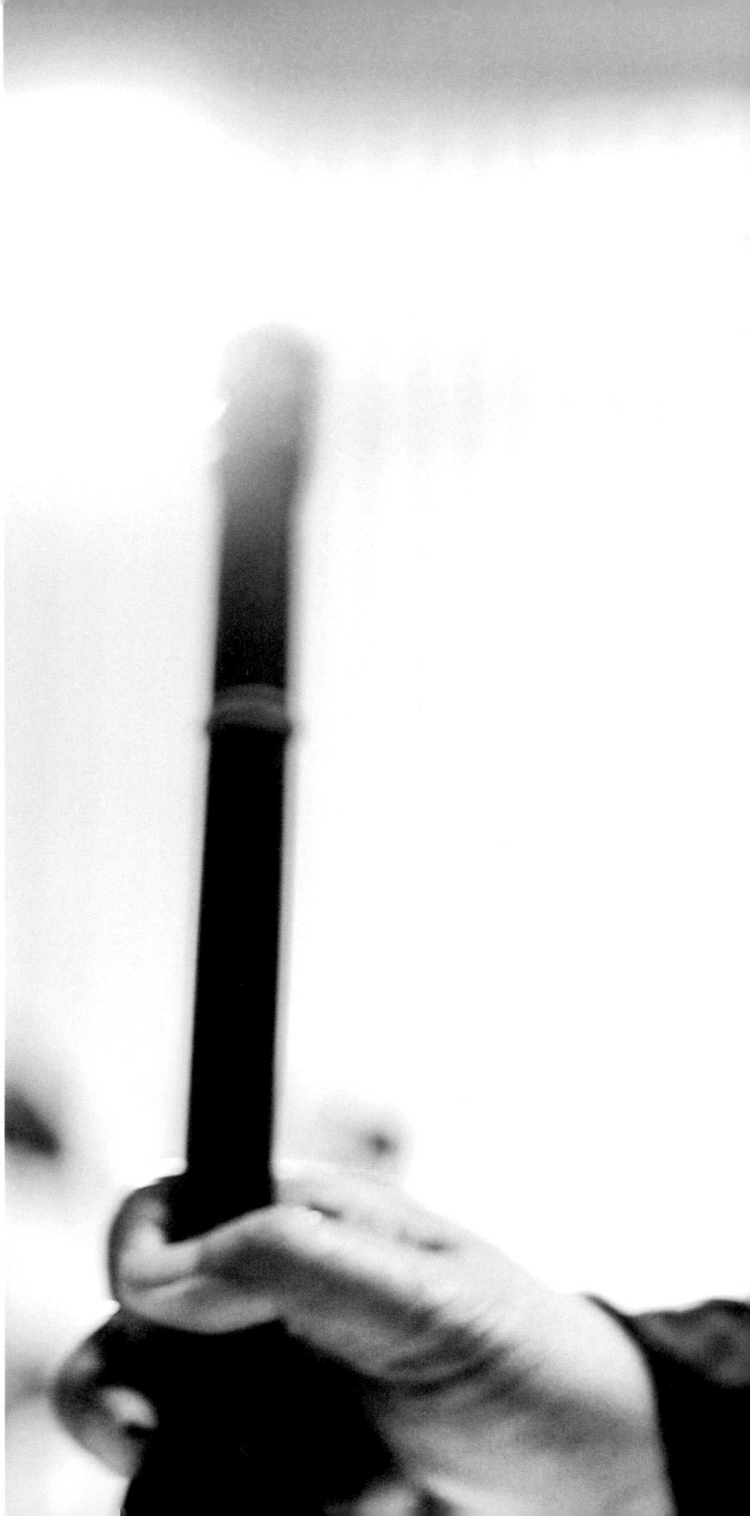

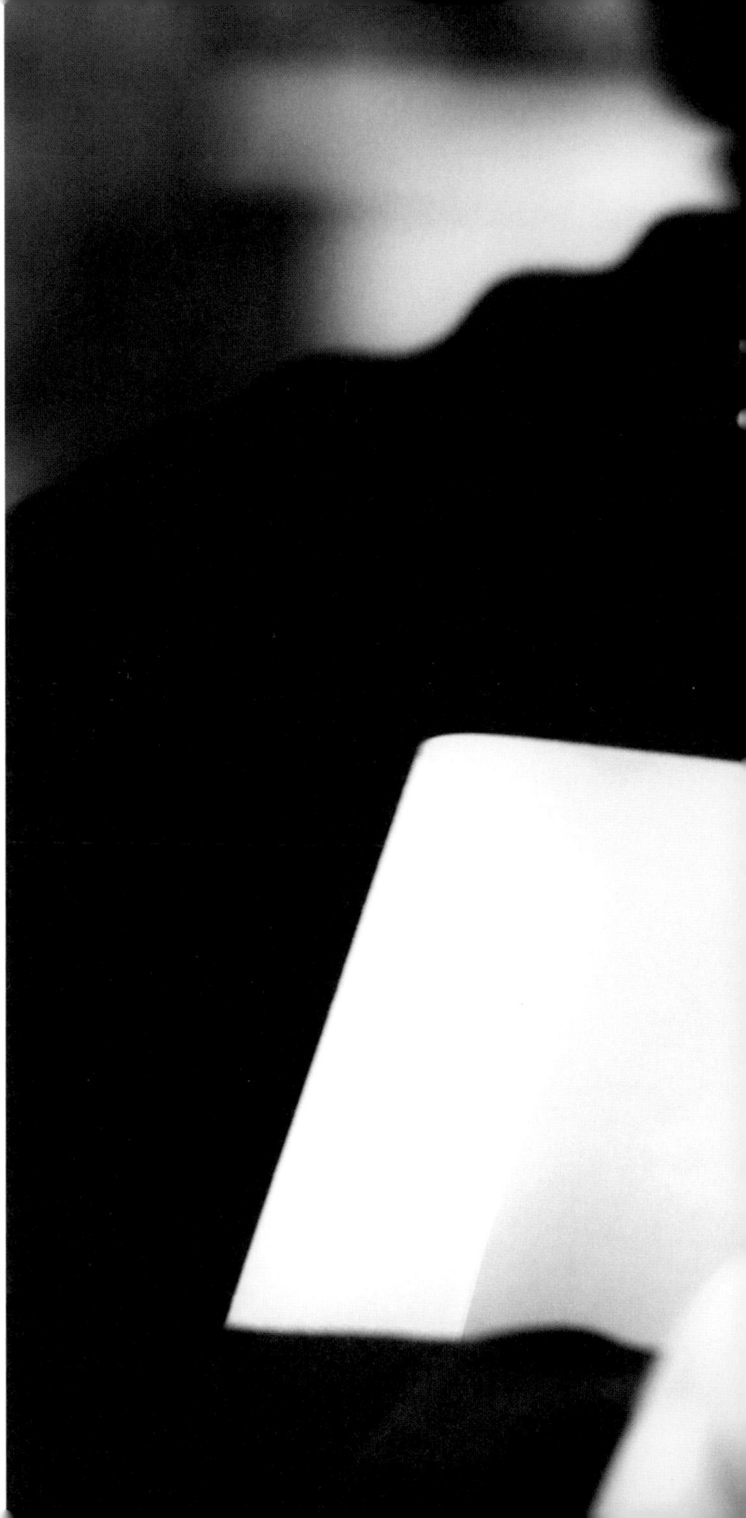

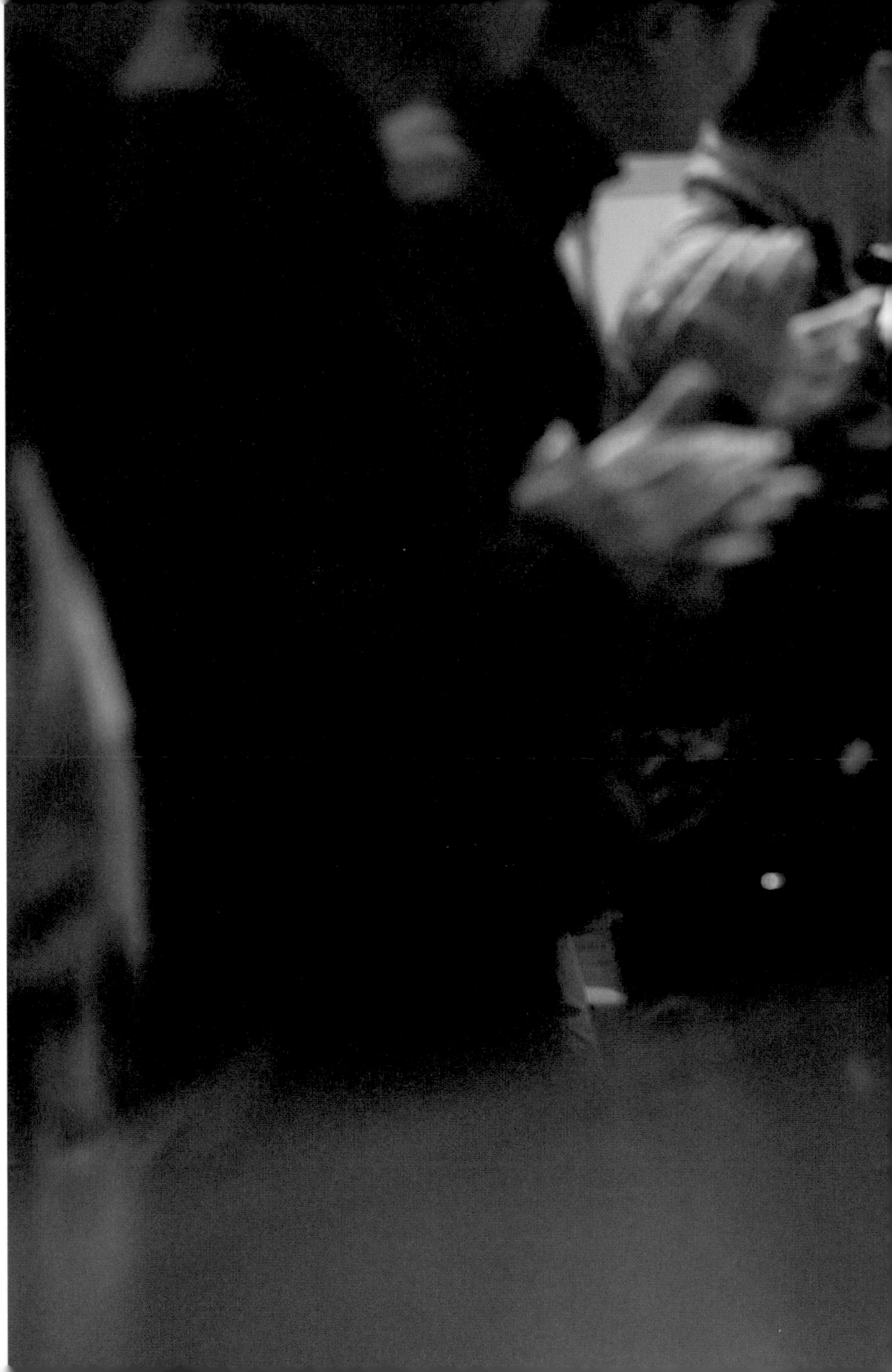

第二部

影響

李自健

國際知名油畫家，青年時期在美國洛杉磯與星雲大師結緣，深受大師賞識力助，一生透過畫筆行佛。

一九九一年在美國創作巨幅歷史油畫「南京大屠殺」，揭示「人性與愛」的重要；此作品於二〇〇〇年由收藏者星雲大師與李自健共同捐贈予「侵華日軍南京大屠殺遇難同胞紀念館」，見證和平可貴。

於湖南長沙籌建「李自健美術館」，以藝術與空間，體現人間佛教的美善，二〇一六年落成啟用。

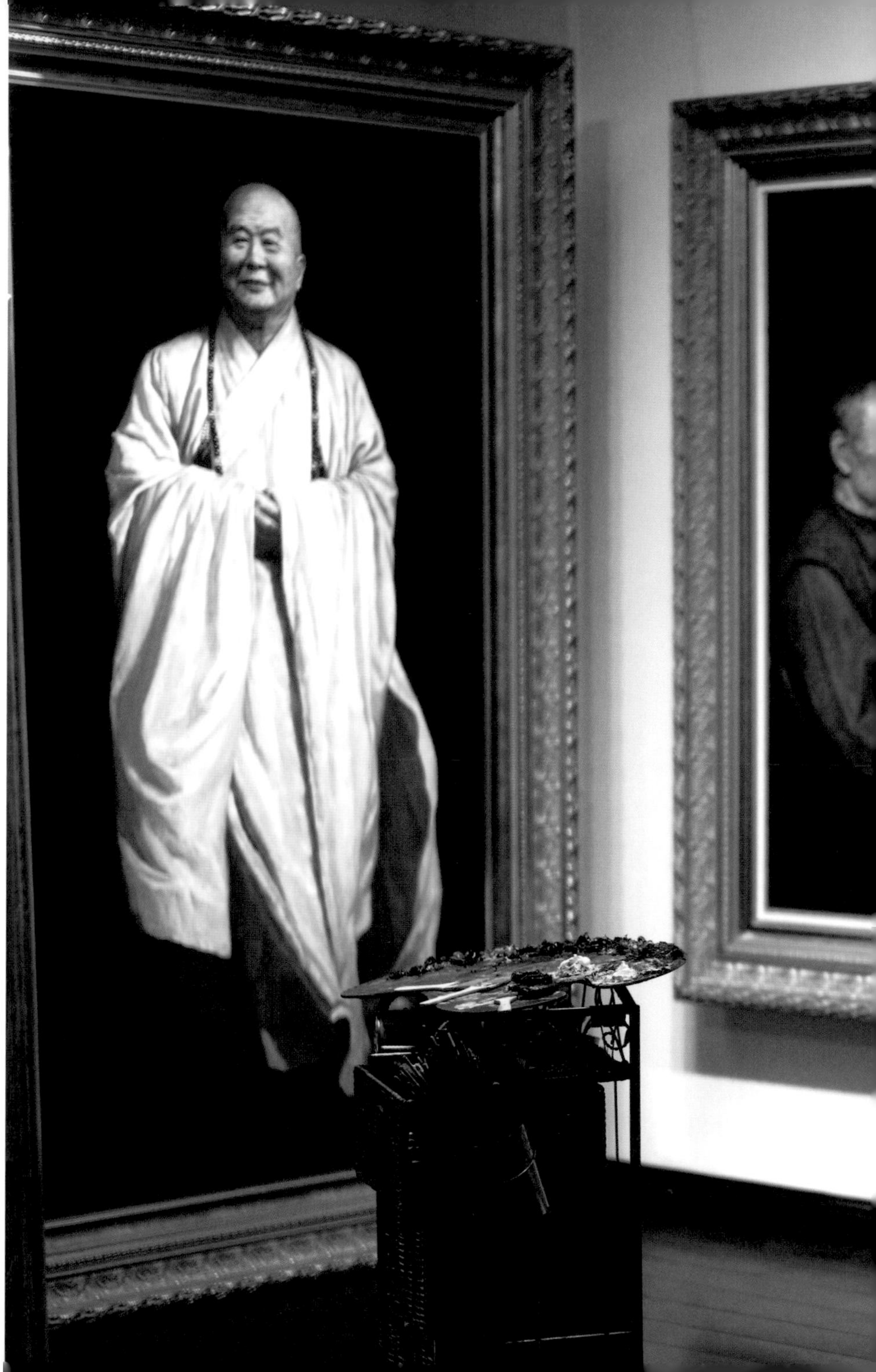

在二十多年前，
我的生命出現了一個重大的抉擇，
在藝術上也找到了自我。
在大師人間佛教慈悲為懷、
普渡眾生的偉大理念之下，
我帶著作品，走出了一條這樣的路。

大師是我藝術人生中一個最大的出現，
是我生命一個重大的轉折。
任何一個來看展覽、走進美術館的人，
他一定有一種感覺：
「沒有星雲大師，就沒有李自健！」

我的展覽、作品，不僅有那麼多表現大師的肖像，
還有人間佛教對生命認知、弘揚佛法的情感在裡面。

高希均

堅持傳播進步觀念的知識份子。從「天下沒有白吃的午餐」
到「捨得」，思索人間佛教創造出的人間紅利，期待建構一
個文明社會。

知名經濟學家。在南京出生，在江南度過童年，一九四九年
來台，一九五九年赴美深造、執教，一生關心教育、經濟、
兩岸、和平。一九八〇年代在台灣發起創辦《天下》雜誌、
《遠見》雜誌與「天下文化出版公司」，現為「遠見‧天下
文化事業群」董事長及《哈佛商業評論》全球繁體中文版發
行人。

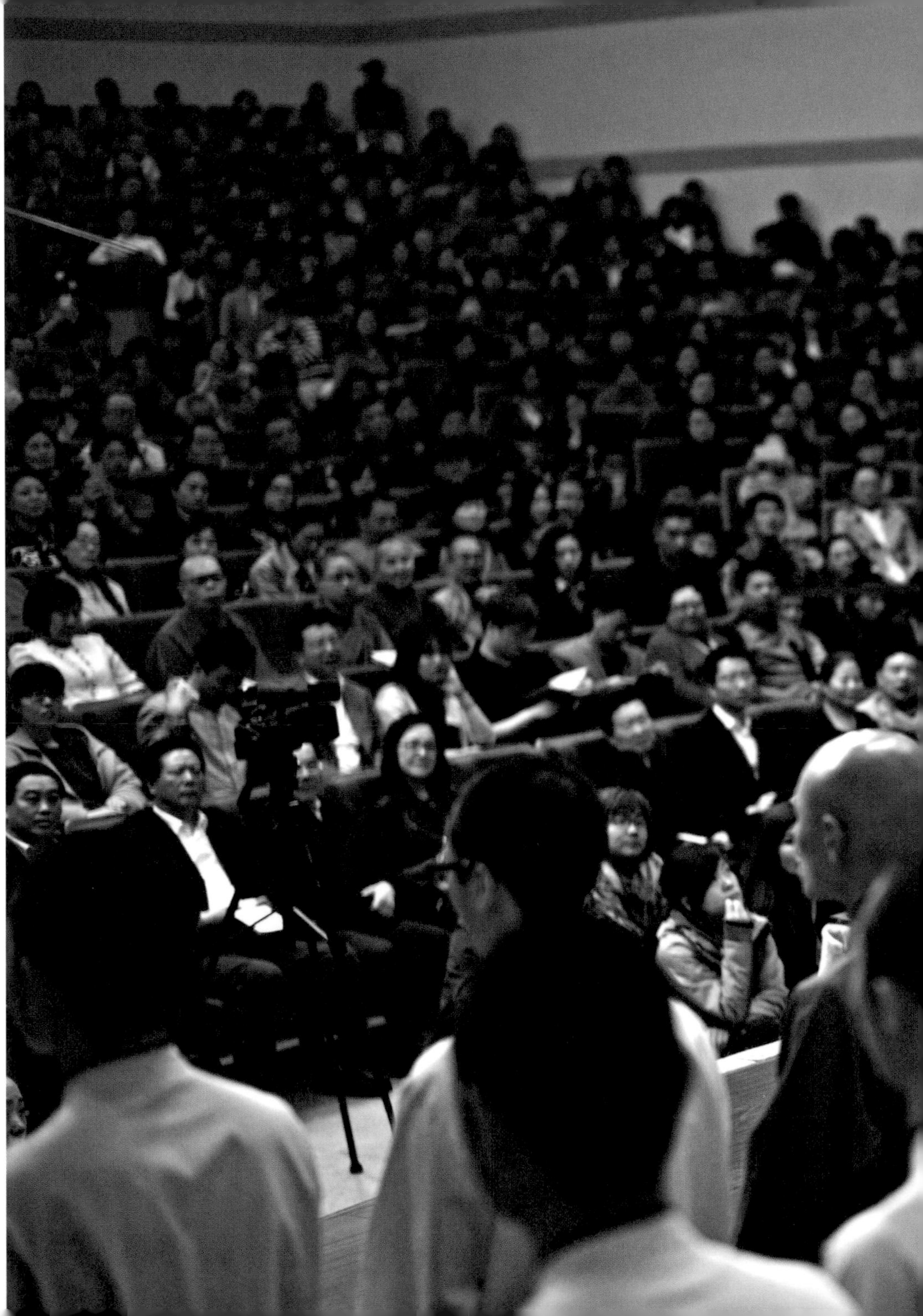

我與星雲大師都出生於江蘇，常常以鄉音彼此問候。我在美國生活四十年，有時候星雲大師與我通電話時，大師會說：「Hello!」、「OK!」

近三十年深厚的友誼，我深刻感受到大師的言教與身教，那是一生的幸運。半世紀以來，在海內外我從未遇到一位像大師一樣那麼地熱心，正直；那麼地捨得，慈悲；那麼地不計較，肯付出；但又那麼堅強地擁有生命力，執行力，說服力；在推動人間佛教的道路上，既能曲直向前，更能勇往直前。

對於一位年長的長者，沒有一件事情，比回到他的家鄉，更能夠使他感到興奮、感到感動。揚州孩子回到他的家鄉，充滿感恩之情。星雲大師把揚州帶到了世界，把揚州變成一個光輝的發源地！

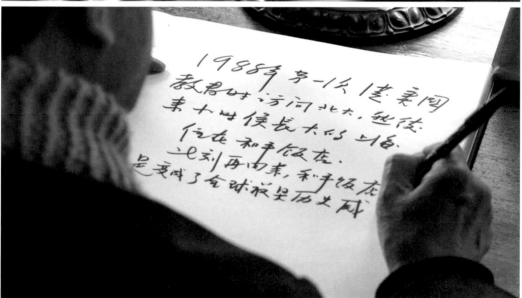

張毅、楊惠姍

世界知名琉璃藝術家。在琉璃中見般若，在琉璃中見慈悲。

原為傑出電影工作者，獲獎無數。一九八七年，兩人決定放下如日中天的電影事業，共同創立華人世界第一個琉璃藝術工作室「琉璃工房」，為中國傳統工藝美術開創新的可能與方向。

二〇一一年佛陀紀念館啟用前，楊惠姍以兩個月的緊迫時間，帶領上海、台北近四十位琉璃工房同仁，日夜輪班全力進行千手千眼觀音雕塑，曾長達五十個小時未休息。觀音塑像目前安座於佛陀紀念館本館普陀洛伽山觀音殿中。

一九八七年琉璃工房開始時，
張毅就給我們自己一個定位：
我們要做的工作是一種志業；
我們的企業永遠要創作有益人心的作品。
對我來說，創作佛像並不只是種藝術。
製作、創作過程，超越了任何形式的觀想、冥思、追尋，
讓我從不安中獲得釋放，得到心靈的平靜，與自己共處。

師父永遠是我最好的榜樣，
因為他的一言一行、他的思考、
他的周到、他的慈悲、他的智慧，
他身體力行的推動，都是我最好的學習榜樣。

願我來世，得菩提時，身如琉璃，
內外明澈，淨無瑕穢。

黃效文

中國探險學會創辦人及會長,「星雲真善美新聞傳播獎」華人世界終身成就獎得主,並為佛陀紀念館駐館攝影家。從探險走向自然人文關懷之路,在悠悠天地間看見生命的價值。

一九七四年起,黃效文以記者身分開始探索中國,在偏遠地區從事研究、保育和教育工作。曾發現長江源頭,參與湄公河(瀾滄江)、黃河源頭的定位。二〇〇二年獲《時代雜誌》提名為二十五位亞洲英雄之一,讚譽他「在世的中國探險家中,成就第一」。

智慧必須要有影響，有一定的結果，
智慧才有用。
就像星雲大師，他不只有智慧，
你看看有多少人經過他，
受到一定的改變，是吧？

真正去實施另一種生活方式，
或是去幫助別人，
我認為這些就是從智慧到行動、到有結果，很重要。
若你去做一件你認為有意義的事，
在完成後應該趕快走，快點離開，
不要待到別人來跟你道謝，
那些是很多餘的。

余秋雨

華人世界最溫暖的一枝筆。走過歷史,走過文化;走過中國,走過絲路,追尋心中的菩提樹。

知名戲劇學者,一九八〇年代,被推舉為當時中國大陸最年輕的高校校長,曾獲「中國最值得尊敬的文化人物」等稱號。二十多年前毅然辭去一切行政職務,孤身一人尋訪中外文明被埋沒的重要文化遺址,撰述《文化苦旅》、《山居筆記》、《千年一嘆》、《行者無疆》等書籍,開創「文化大散文」的一代文風。

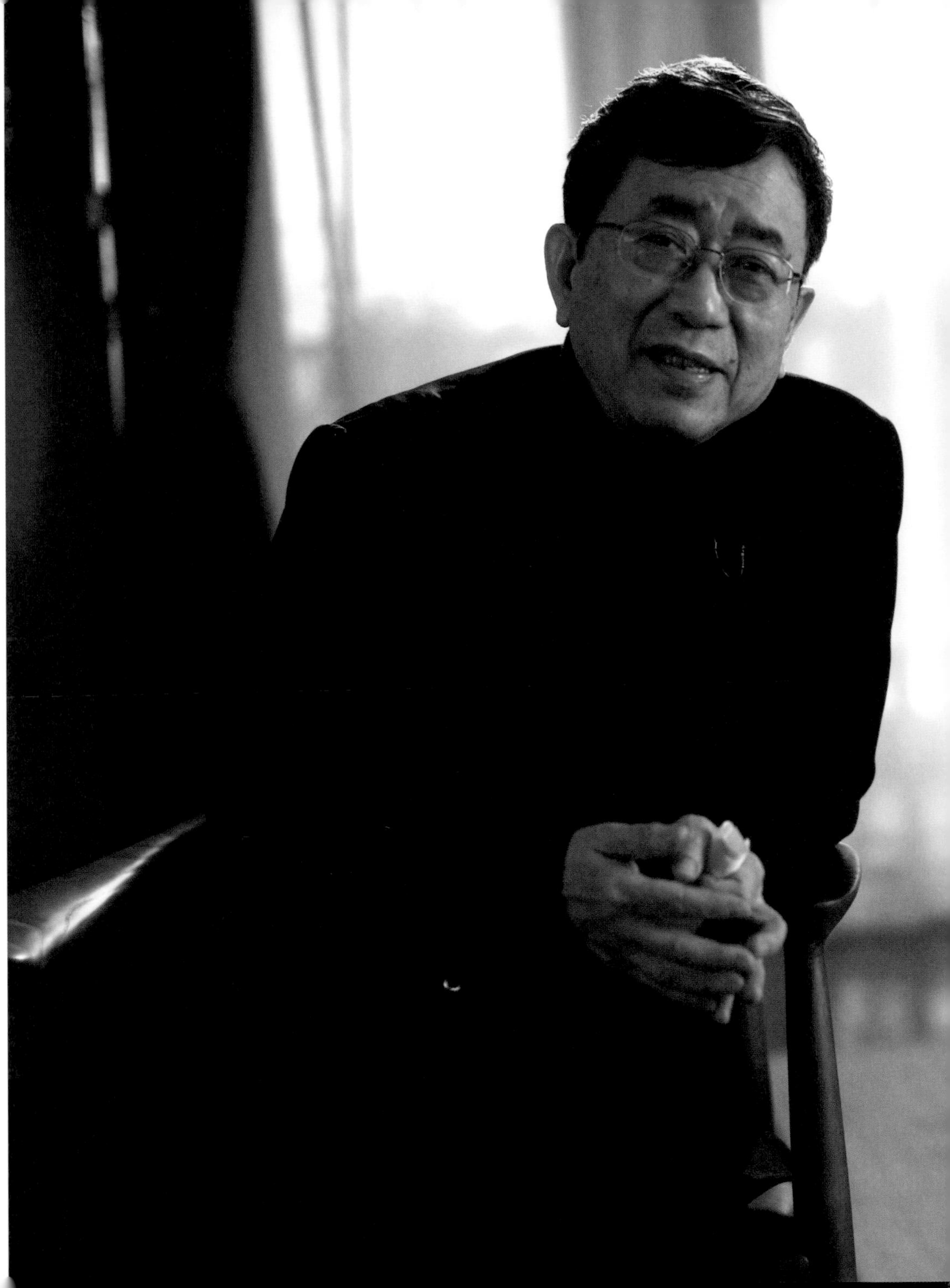

忍辱，忍受汙辱。星雲大師談「忍辱」的「忍」，是由自己來承受世界的苦難。忍辱是忍受某人對我的謠言，為什麼謠言會起來呢？因為世界需要謠言。

世界為什麼需要謠言呢？因為世界有太多的苦難。世界有太多苦難需要我們去解救，我忍受汙辱其實是代世界來忍受苦難，進一步解除這個苦難。忍辱其實是個大概念，不是個人的小概念，這一點對我幫助很大。

星雲大師是一位非常優秀、跨世代的佛學家，你再深入探究，一定看到他有中國傳統文化的君子之風，不僅是一般意義上的佛學家。在星雲大師的身上，我們看到君子之道和佛的光輝高度組合。每一次想到星雲大師時，我心裡就非常愉快，這種愉快屬於當代佛教，對佛教的充滿一種喜悅的感覺。

科技企業界頂尖人士。生於台灣，長於美國，以最高榮譽畢業於哥倫比亞大學，獲得卡內基美隆大學電腦學博士學位。歷任蘋果、微軟、谷歌等頂尖科技公司重要職務，是深受年輕人歡迎的創業家、青年導師、暢銷書作家。

二〇一三年的一場大病，讓人生舞台上一切掌聲嘎然而止，新的領悟，於是一一開啟；在生命高峰時遭遇癌症淬鍊，在與星雲大師一席話後，重新出發。

人生在世，就是要把這段時間過得充實，讓自己做有意義、有價值的事情，認識一些跟自己有緣的人，然後讓世界變得更美好。

修過死亡學分之後，我的人生走到了另一個階段。過去的我，工作第一，事業第二；現在，家人第一，健康第一。

「人身難得，人生一回太不容易了，不必想要改變世界，能把自己做好就不容易了。」大師略停了停，繼續說：「要產生正能量，不要產生負能量。」大師的每一個字都落在我的心田裡。

第三部

光影

一九六四年，星雲大師在佛學院授課。他經常講述《般若心經》，並對
「空」提出建設性的觀點——因為「空」，才能建設「有」。同樣的教
室，現在仍是僧眾學生每天精進學習的場域。

1964

2016

2016

2016

1967

此處原名「東方佛教學院」，現為佛光山女眾學部，是佛光山開山之初的
第一棟建築。星雲大師親自帶著師生、工人，一磚一石鋪建，連續十年才
完工。
左圖為一九六七年學院剛啟建時，星雲大師帶著學生於中庭出坡植草；右
圖則是半世紀以來，遵循佛教叢林、培育僧才的清規，女眾學部學生在每
天中午過堂用膳後，仍會在此跑香。

2016

2016

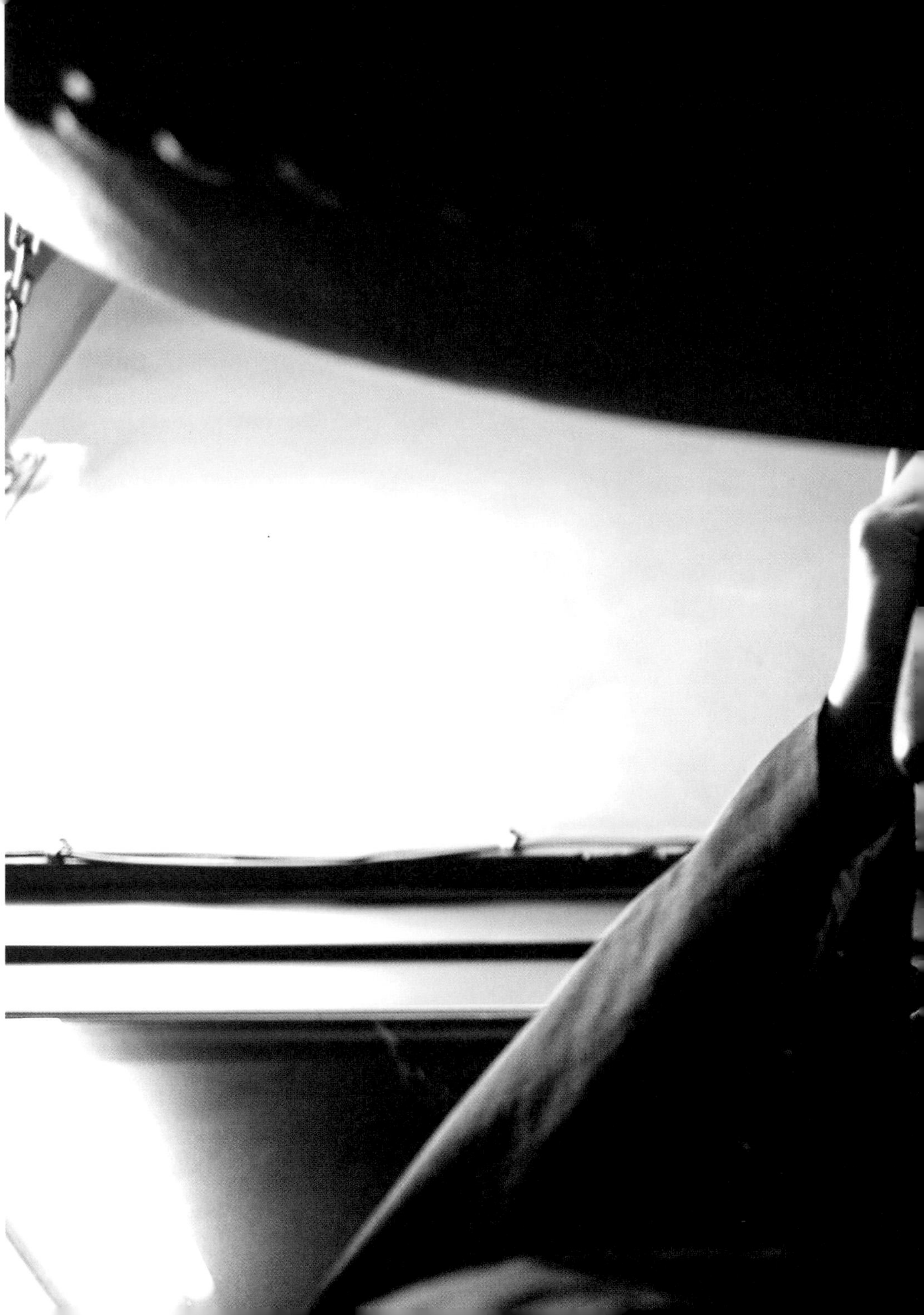

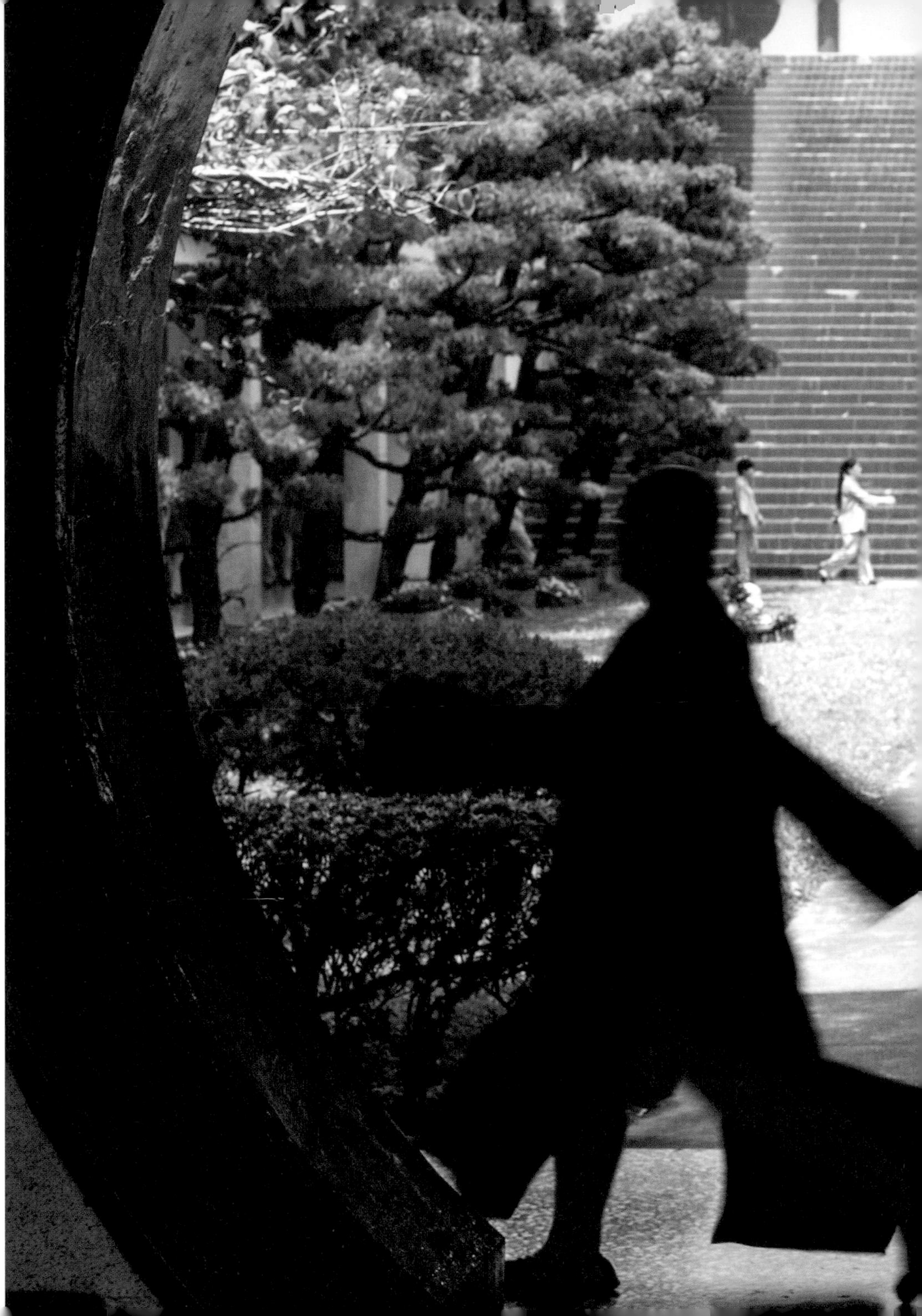

我居一慶樂無彊　任他天下襄榻好

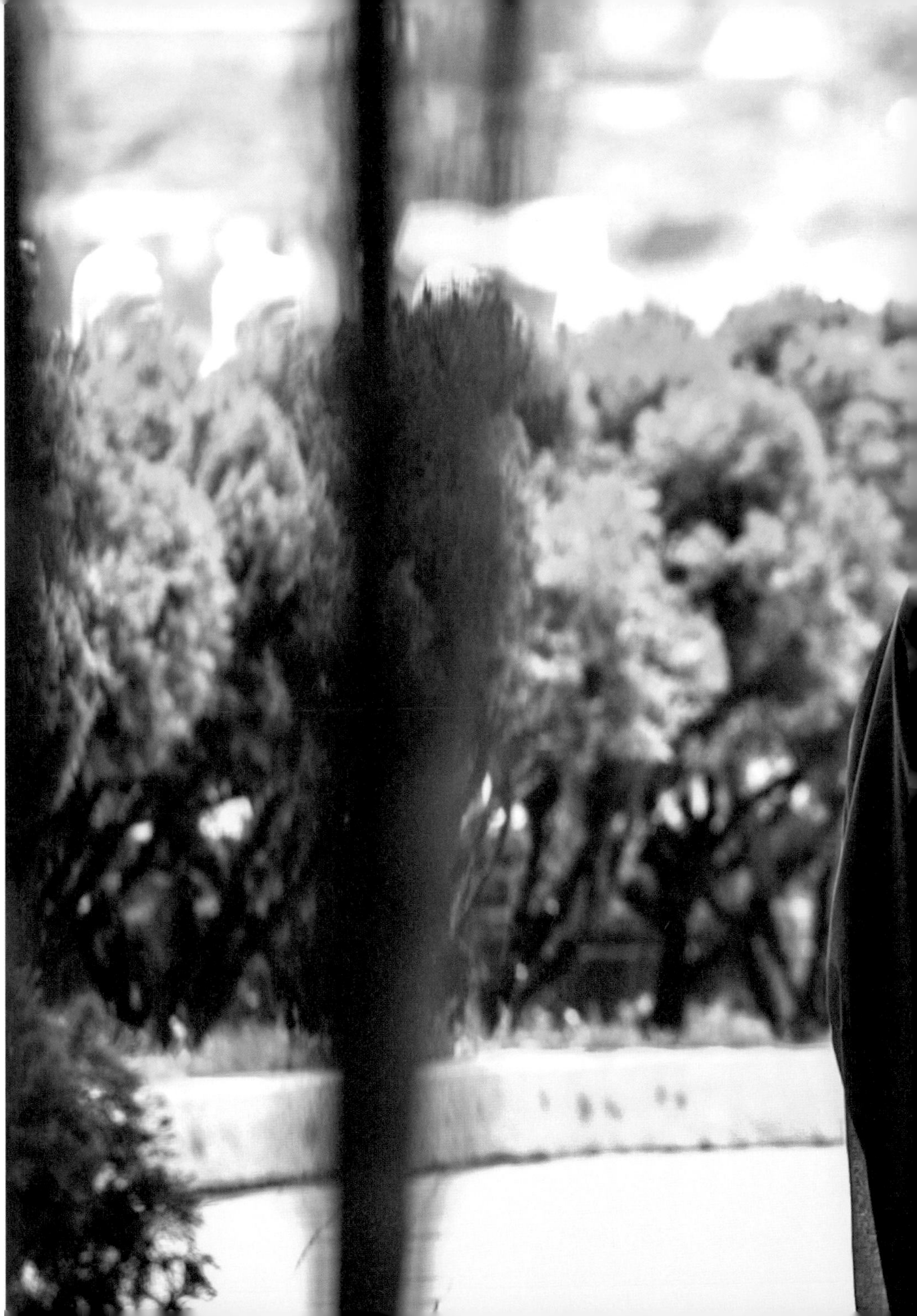

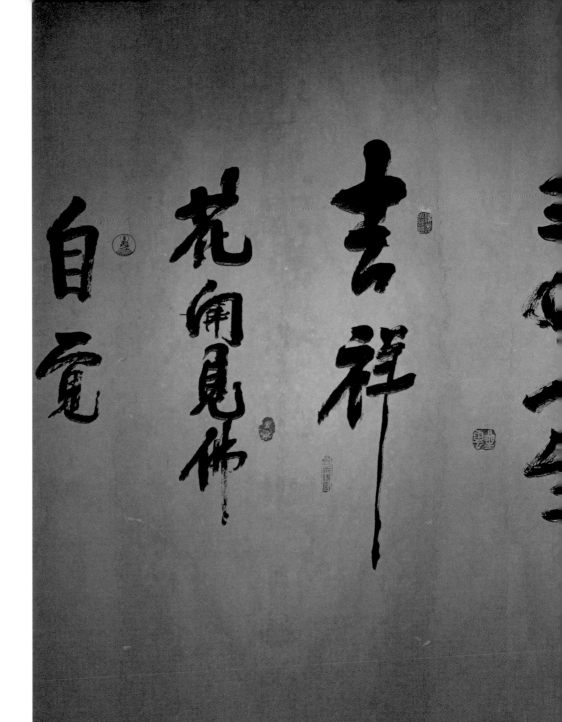

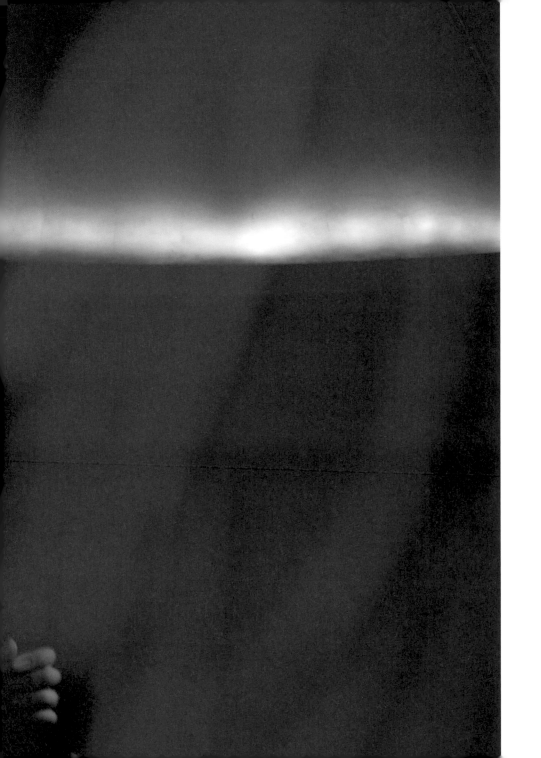

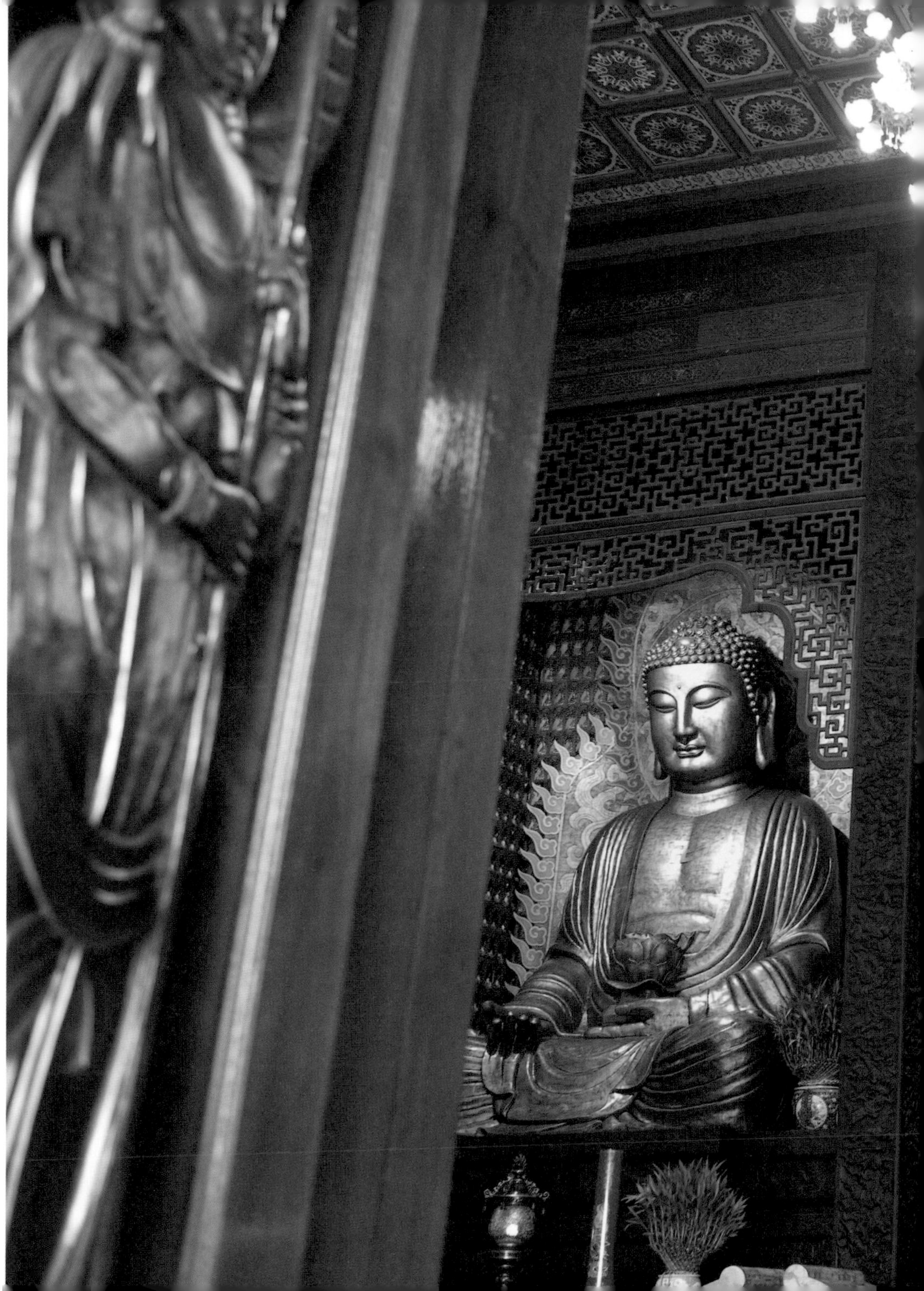

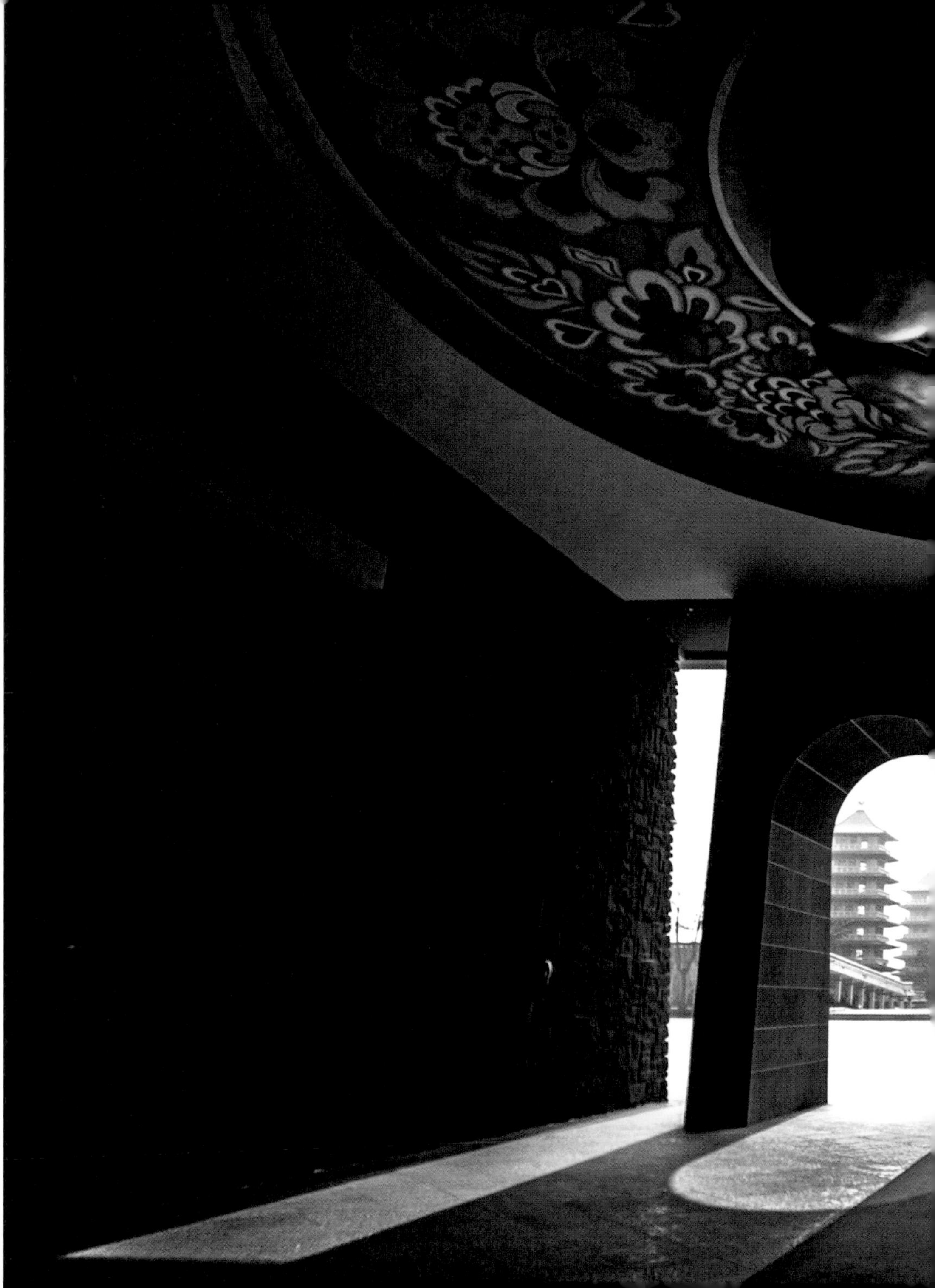

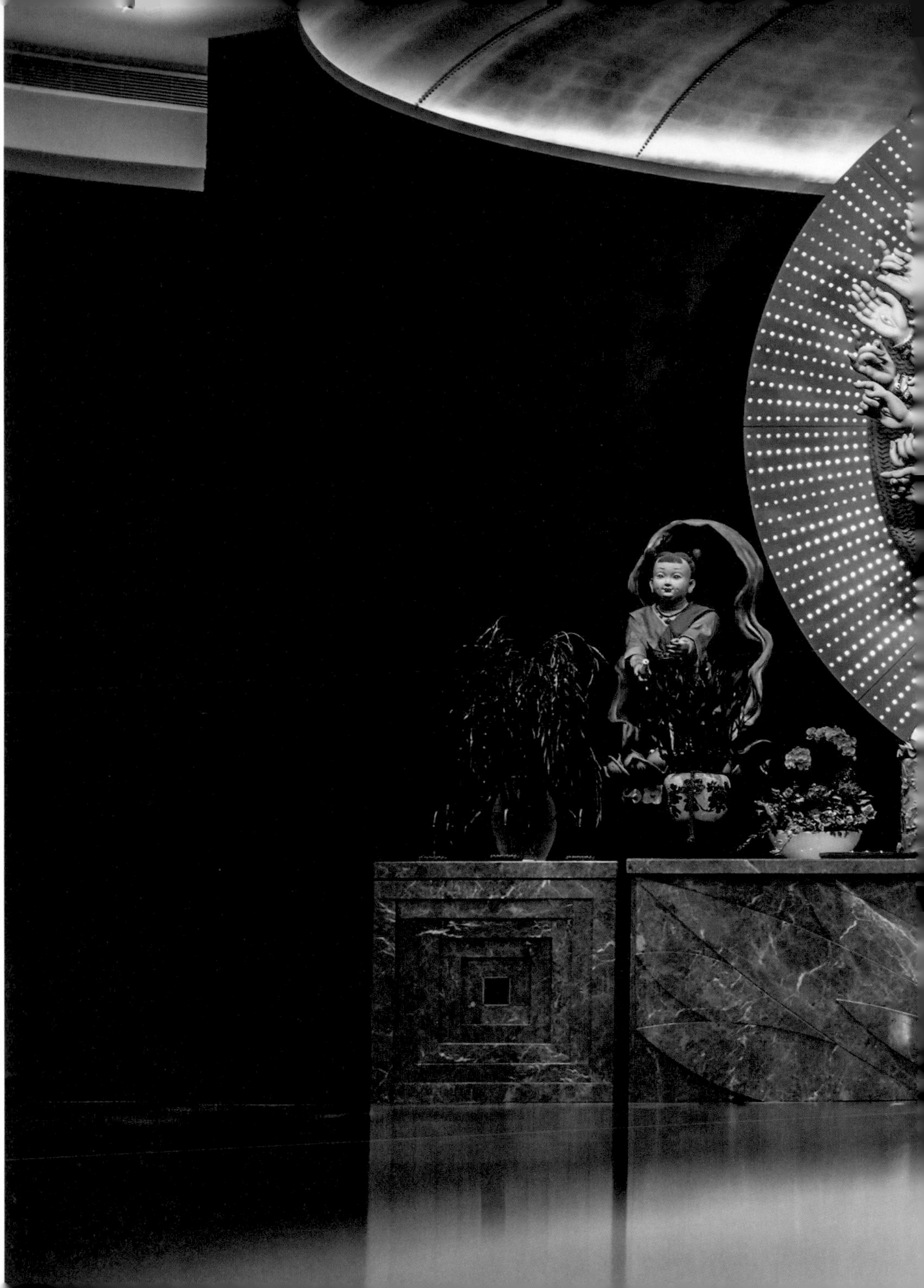

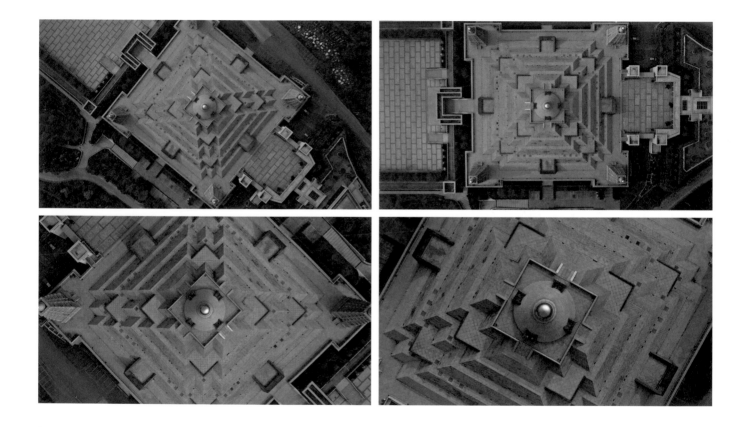

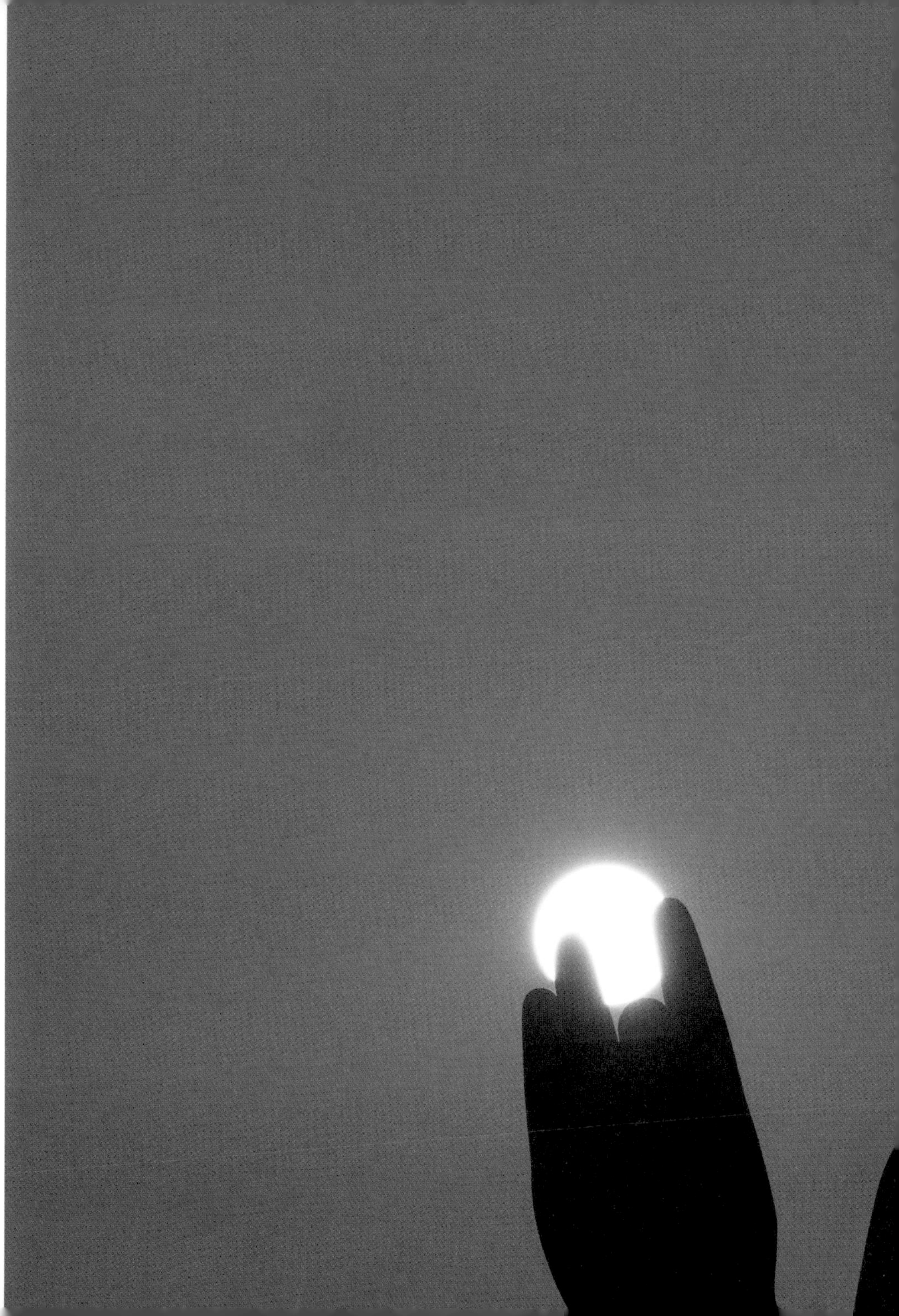

文化文創 BCC022

星雲之影

國家圖書館出版品預行編目 (CIP) 資料

星雲之影 / 楊棟樑主編.
-- 第一版 . -- 臺北市：遠見天下文化，
2016.08
面；公分. -- (文化文創；22)
ISBN 978-986-479-045-6(平裝)

1. 攝影集

957   105013519

策畫 ── 王力行
主編 ── 楊棟樑
事業群發行人／ CEO ／總編輯 ── 王力行
副總編輯 ── 吳佩穎
責任編輯 ── 賴仕豪
全書照片提供 ── 佛光山、遠見創意製作（2016 拍攝）
封面題字 ── 余秋雨
封面照片提供── 遠見創意製作

出版者 ── 遠見天下文化出版股份有限公司
創辦人 ── 高希均、王力行
遠見‧天下文化‧事業群　董事長 ── 高希均
事業群發行人／ CEO ── 王力行
出版事業部副社長／總經理 ── 林天來
版權部協理 ── 張紫蘭
法律顧問 ── 理律法律事務所陳長文律師
著作權顧問 ── 魏啟翔律師
地　址 ── 台北市 104 松江路 93 巷 1 號 2 樓
讀者服務專線 ──（02）2662-0012 ｜傳真──（02）2662-0007；2662-0009
電子信箱 ── cwpc@cwgv.com.tw
直接郵撥帳號 ── 1326703-6 號　　遠見天下文化出版股份有限公司

製版廠 ── 科樂印刷事業股份有限公司
印刷廠 ── 科樂印刷事業股份有限公司
裝訂廠 ── 聿成裝訂股份有限公司
登記證 ── 局版台業字第 2517 號
總經銷 ── 大和書報圖書股份有限公司　電話／（02）8990-2588
出版日期 ── 2016 年 8 月 22 日第一版第 1 次印行

定價 ── NT600 元
ISBN ── 978-986-479-045-6
書號 ── BCC022
天下文化書坊 ── bookzone.cwgv.com.tw